Apostel

David Gibbins bij Mynx:

Atlantis
Menora
Apostel

www.mynx.nl